Educación Artística

Primer grado

Esta edición de *Educación Artística. Primer grado* fue desarrollada por la Dirección General de Materiales Educativos (DGME), de la Subsecretaría de Educación Básica.

Secretaría de Educación Pública
Alonso Lujambio Irazábal

Subsecretaría de Educación Básica
José Fernando González Sánchez

Dirección General de Materiales Educativos
María Edith Bernáldez Reyes

Coordinación técnico-pedagógica
Dirección de Desarrollo e Innovación de Materiales Educativos, DGME/SEP
María Cristina Martínez Mercado, Ana Lilia Romero Vázquez, Alexis González Dulzaides

Autores
Laura Gamboa Suárez, Lorena Cecilia Fuensanta Ávila Dueñas, Rita Holmbaeck Rasmussen, Oswaldo Martín del Campo Núñez, María Teresa Carlos Yáñez, Marxitania Ortega Flores

Revisión técnico-pedagógica
Gabriela Rodríguez Blanco, Jessica Mariana Ortega Rodríguez, Rosa María Núñez Hernández, Daniela Aseret Ortiz Martínez

Asesores
Lourdes Amaro Moreno, Leticia María de los Ángeles González Arredondo, Óscar Palacios Ceballos

Coordinación editorial
Dirección Editorial, DGME/SEP
Alejandro Portilla de Buen, Pablo Martínez Lozada, Esther Pérez
Cuidado editorial
Esteban Manteca Aguirre

Iconografía
Diana Mayén Pérez, Fabiola Buenrostro

Producción editorial
Martín Aguilar
Formación
Abraham Menes Núñez

Portada
Diseño de colección: Carlos Palleiro
Ilustración de portada: Cecilia Rébora

Primera edición, 2010
Segunda edición (ciclo escolar 2011-2012)

D.R. © Secretaría de Educación Pública, 2010
Argentina 28, Centro,
06020, México, D.F.

ISBN: 978-607-469-641-7

Impreso en México
DISTRIBUCIÓN GRATUITA-PROHIBIDA SU VENTA

Servicios editoriales
CIDCLI, S.C.

Coordinación y asesoría editorial
Patricia van Rhijn, Elisa Castellanos y Rocío Miranda

Diseño y diagramación
Rogelio Rangel

Ilustración
Alma Rosa Pacheco (pp. 8, 9, 24, 25, 36, 37, 50, 51, 64 y 65); Belén García Monroy (pp. 23, 35, 48, 63 y 75); Erick Retana (p. 58); Gabriela Granados (pp. 11, 33 y 57); Gloria Calderas (pp. 16, 17, 28, 34, 40 y 74); Gonzalo Gómez (p. 29); Guadalupe Pacheco (pp. 14, 58, 59 y 69); Herenia González (pp. 43, 46 y 47); José Luis Valadez (p. 63); Nayeli Barrera (pp. 15, 39, 44 y 56); Paulina Barraza (pp. 18, 52, 53 y 68); Patricio Betteo (p. 41); Rocío Padilla (pp. 59 y 67); Sara Elena Palacios (pp. 22, 42, 45, 60, 61, 70 y 71).

Iconografía
Ana Mireya Martínez Olave

Fotografía
Rafael Miranda; asistente Anaí Tirado

Educación Artística. Primer grado
se imprimió en los talleres de la Comisión Nacional de Libros de Texto Gratuitos, con domicilio en Av. Acueducto No. 2, Parque Industrial Bernardo Quintana, C.P. 76246, El Marqués, Qro., el mes de enero de 2011. El tiraje fue de 2,898,900 ejemplares. Sobre papel offset reciclado con el fin de contribuir a la conservación del medio ambiente, al evitar la tala de miles de árboles en beneficio de la naturaleza y los bosques de México.

Impreso en papel reciclado

Agradecimientos
La Secretaría de Educación Pública agradece a los más de 40 284 maestros y maestras, a las autoridades educativas de todo el país, al Sindicato Nacional de Trabajadores de la Educación, a expertos académicos, a los Coordinadores Estatales de Asesoría y Seguimiento para la Articulación de la Educación Básica, a los Coordinadores Estatales de Asesoría y Seguimiento para la Reforma de la Educación Primaria, a monitores, asesores y docentes de escuelas normales, por colaborar en la revisión de las diferentes versiones de los libros de texto llevada a cabo durante las Jornadas Nacionales y Estatales de Exploración de los Materiales Educativos y las Reuniones Regionales, realizadas en 2008 y 2009. Así como a la Dirección General de Desarrollo Curricular, Dirección General de Educación Indígena, Dirección General de Desarrollo de la Gestión e Innovación Educativa.

La SEP extiende un especial agradecimiento a la Organización de Estados Iberoamericanos para la Educación, la Ciencia y la Cultura (OEI), por su participación en el desarrollo de esta edición.

También se agradece el apoyo de las siguientes instituciones: Universidad Autónoma Metropolitana, Centro de Educación y Capacitación para el Desarrollo Sustentable de la Secretaría del Medio Ambiente y Recursos Naturales, Ministerio de Educación de la República de Cuba. Asimismo, la Secretaría de Educación Pública extiende su agradecimiento a todas aquellas personas e instituciones que de manera directa e indirecta contribuyeron a la realización del presente libro de texto.

Presentación

La Secretaría de Educación Pública, en el marco de la Reforma Integral de la Educación Básica, plantea una propuesta integrada de libros de texto desde un nuevo enfoque que hace énfasis en la participación de los alumnos para el desarrollo de las competencias básicas para la vida y el trabajo. Este enfoque incorpora como apoyo Tecnologías de la Información y Comunicación (TIC), materiales y equipamientos audiovisuales e informáticos que, junto con las bibliotecas de aula y escolares, enriquecen el conocimiento en las escuelas mexicanas.

Después de varias etapas, en este ciclo se consolida la Reforma en los seis grados y, en consecuencia, se presenta esta propuesta completa de los nuevos libros de texto, que abarca la totalidad de las asignaturas en todos los grados.

Este libro de texto incluye estrategias innovadoras para el trabajo escolar, demandando competencias docentes orientadas al aprovechamiento de distintas fuentes de información, el uso intensivo de la tecnología, la comprensión de las herramientas y de los lenguajes que niños y jóvenes utilizan en la sociedad del conocimiento. Al mismo tiempo, se busca que los estudiantes adquieran habilidades para aprender de manera autónoma, y que los padres de familia valoren y acompañen el cambio hacia la escuela mexicana del futuro.

Su elaboración es el resultado de una serie de acciones de colaboración, como la Alianza por la Calidad de la Educación, así como con múltiples actores entre los que destacan asociaciones de padres de familia, investigadores del campo de la educación, organismos evaluadores, maestros y expertos en diversas disciplinas. Todos han nutrido el contenido del libro desde distintas plataformas y a través de su experiencia. A ellos, la Secretaría de Educación Pública les extiende un sentido agradecimiento por el compromiso demostrado con cada niño residente en el territorio nacional y con aquellos que se encuentran fuera de él.

Secretaría de Educación Pública

Índice

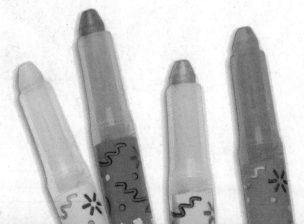

Conoce tu libro

Esperamos que en esta asignatura aprendas a comunicar y a expresar tus ideas, gustos, sensaciones y mucho más a través del arte, con creatividad e imaginación.

Éste es tu primer libro de Educación Artística, está dividido en cinco bloques y en cada uno de ellos encontrarás:

Materiales
Los usarás en las actividades que se proponen. Si no los encuentras puedes sustituirlos por otros.

Baúl del arte
Lo llenarán entre todos con muchos objetos que podrán usar en el desarrollo de sus lecciones.

Aprendizaje esperado
Aquí te decimos qué habrás aprendido al finalizar cada una de las lecciones.

Lo que conozco
Antes de comenzar es conveniente que siempre trates de aportar tus ideas sobre el tema, recuerda que son valiosas.

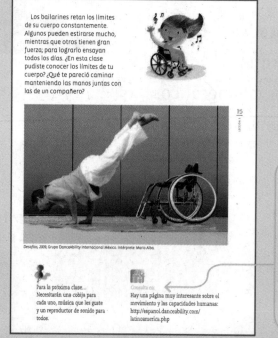

Lección 5 ¡Pum, pas, shhh!

Durante esta lección reconocerás distintos sonidos que producen algunas cosas que te rodean. También los sonidos que puedes hacer con tu cuerpo, e identificarás el silencio.

Lo que conozco
¿Qué necesitas para hacer música?

Materiales:
Objetos del "Baúl del arte" que puedan producir sonidos.

Para hacer música necesitas combinar sonidos distintos. El sonido puede venir de instrumentos musicales o de muchos otros objetos.

Escucha con atención y trata de reconocer todos los sonidos que hay a tu alrededor. Dibuja en este espacio todo lo que escuches.

18
Lección

Los bailarines retan los límites de su cuerpo constantemente. Algunos pueden estirarse mucho, mientras que otros tienen gran fuerza; para lograrlo ensayan todos los días. ¿En esta clase pudiste conocer los límites de tu cuerpo? ¿Qué te pareció caminar manteniendo las manos juntas con las de un compañero?

15
Lección

Desafíos, 2009, Grupo DanceAbility Internacional México. Intérprete: Mario Alba.

Para la próxima clase...
Necesitarán una cobija para cada uno, música que les guste y un reproductor de sonido para todos.

Consulta en:
Hay una página muy interesante sobre el movimiento y las capacidades humanas: http://espanol.danceability.com/latinoamerica.php

Consulta en
Páginas de internet: cuando tengas la oportunidad, asómate, en compañía de un adulto, a las páginas sugeridas, ¡él también aprenderá y se divertirá! Recuerda consultar la Biblioteca Escolar, pídele a tu maestro que te preste libros interesantes.

Lección 11 ¿Qué me pasa? Mira mi cara y dímelo tú

En esta lección observarás que el rostro expresa diferentes emociones mediante gestos.

Lo que conozco
¿Cómo es tu cara cuando estás contento? ¿Y cuando lloras? ¿Te has fijado en los *gestos* y las *posturas* de las personas que están en las fotografías o en un cartel?

En el rostro tenemos músculos que nos sirven para abrir la boca, hacer muecas, fruncir el ceño,

Materiales:
Una caja de zapatos o un cartón, lápices de colores o crayones, pinturas de colores, pinceles y elástico o cordón, para cada uno de ustedes.

etcétera. Al mover los músculos de diferente manera se expresan distintos estados de ánimo.
También nos expresamos con el cuerpo. Observa las siguientes imágenes y comenta con tus compañeros: ¿qué te dicen los gestos de los personajes?
¿Qué expresa la posición de los cuerpos?
Ahora haz una máscara. Este ejercicio requiere atención, observación y respeto.

• Trabajen por parejas. Primero, uno de ustedes hará un gesto; por ejemplo, ¿qué harías si te ofrecieran tu fruta favorita?

Desiderio Hernández Xochitiotzin. Reunión de los cuatro señores de Tlaxcala (detalle) (1957), mural al fresco, Palacio de Gobierno del Estado de Tlaxcala.

Para la próxima clase...
Materiales que ocuparás. Tenlos listos y si no los consigues usa otros.

Un dato interesante
Aquí conocerás algo nuevo e interesante, aprovéchalo para preguntar e investigar.

• Entre todos van a crear un gigante gigantón. En los papeles de colores cada uno de ustedes dibujará diferentes partes del cuerpo humano. Observen las imágenes que trajeron y tomen su propio cuerpo como ejemplo.
• Pueden dibujar uñas, cabellos, narices ¡o bocas! Luego recórtenlos. Elijan una pared del salón y vayan pegando sobre el papel grande todos los recortes que hicieron.
• Una vez que esté listo el gigante gigantón, obsérvenlo y comenten: ¿cuántas piernas tiene? ¿Se parece a ustedes?,

¿en qué es diferente?, ¿de qué colores son sus ojos? Ahora, pónganle un nombre.

En el arte es necesario observar para descubrir todos los detalles, como hiciste hoy en tus actividades. Acostúmbrate a observar; es como si al mirar usaras una lupa para reconocer los más pequeños detalles.

Para la próxima clase...
Necesitarás música que te guste y un reproductor de sonido para todo el grupo.

Cueva de las manos, pintura rupestre de hace unos 9000 años.
Provincia de Santa Cruz, Argentina (fragmento). 190 x 128 cm, aprox.

Un dato interesante
Algunas partes de nuestro cuerpo pueden servir como si fueran pinceles; por ejemplo, aquí las manos fueron la herramienta para crear la pintura.
A las primeras pinturas que se hicieron en las cuevas se les llama pinturas rupestres.

Escala
Junto a las reproducciones de obras de arte aparece una silueta humana que te ayudará a saber de qué tamaño es la obra.

Palabras destacadas
Algunas palabras se destacan con color azul porque son importantes en Educación Artística. Pon atención en ellas.

Autoevaluación
Aquí revisarás lo que has aprendido, el resultado es sólo para ti y te permitirá estar satisfecho y seguir aprendiendo mucho más.

Integro lo aprendido
En estas lecciones usarás todo lo que has aprendido a lo largo del bloque en una actividad donde puedes combinar los lenguajes artísticos: danza, música, artes visuales y teatro.

Autoevaluación

Es tiempo de que evalúes lo que has aprendido en este bloque. Lee cada enunciado y marca con una palomita lo que hayas logrado alcanzar.

Con mis lecciones de Educación Artística logré:

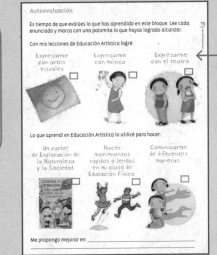

Expresarme con artes visuales ☐
Expresarme con música ☐
Expresarme con el teatro ☐

Lo que aprendí en Educación Artística lo utilicé para hacer:

Un cartel de Exploración de la Naturaleza y la Sociedad. ☐
Hacer movimientos rápidos o lentos en mi clase de Educación Física ☐
Comunicarme de diferentes maneras. ☐

Me propongo mejorar en: _____

¿Qué opinas de tu libro?

Tu opinión es importante para mejorar este libro. Marca con una ✓ las respuestas que expresen tu opinión.

1 ¿Te gustó tu libro?
○ Siempre   ○ Casi siempre   ○ A veces

2 ¿Te gustaron las imágenes?
○ Siempre   ○ Casi siempre   ○ A veces

3 ¿Las imágenes te ayudaron a entender las actividades?
○ Siempre   ○ Casi siempre   ○ A veces

4 ¿Te fue fácil conseguir los materiales?
○ Siempre   ○ Casi siempre   ○ A veces

5 ¿Las instrucciones de las actividades fueron claras?
○ Siempre   ○ Casi siempre   ○ A veces

6 ¿El "Baúl del arte" fue un elemento de apoyo para realizar las actividades?
○ Siempre   ○ Casi siempre   ○ A veces

Las actividades te ayudaron a:
○ Expresar tu creatividad
○ Trabajar en equipo
○ Hacer las cosas por ti mismo

Si tienes sugerencias para el libro, escríbelas a continuación:
_____
_____

¡Gracias por tu participación!

Integro lo aprendido

Los animales se comunican por medio de gestos, sonidos y movimientos. Por ejemplo, los delfines emiten sonidos para comunicarse. Los chimpancés usan ruidos y gestos.

• Cada uno de ustedes elija un animal y piense: ¿cómo se mueve?, ¿qué sonidos hace?, ¿son graves o agudos, largos o cortos?
• Ahora, colóquense en círculo. Su maestra, o algún compañero, propondrá en qué situación

se representará al animal. Por ejemplo, si dice ¡dormidos! cada uno dormirá como lo haría el animal que escogió.

Recuerden hacer los sonidos, gestos y movimientos que identifican a esos animales. Al finalizar comenten qué fue lo que más disfrutaron al realizar la actividad.
En el teatro y en la danza utilizamos los gestos y nuestro cuerpo para expresarnos.

Para la próxima clase...
Necesitarás una o varias sábanas vieja o varios pliego de papel grueso unidos con cinta adhesira, pintura no tóxica (té, café, betabel, etc.). Short, playera y zapatos que se puedan manchar. Recipientes para la pintura. Música grabada.

Proyecto de ensamble

Para ustedes ¿qué es un proyecto de ensamble?
Es una idea que representarán entre todos y que podrán mostrar a sus compañeros de la escuela, a su familia y ¡hasta a su comunidad!
Esta es sólo una sugerencia. Ustedes, con su maestro, tienen la oportunidad de proponer otras ideas de lo que les gustaría realizar.
Este año trabajaron muchas actividades corporales. ¿Cómo podrían hacer una gran obra de arte utilizando sus cuerpos?

Materiales:
Una o varias sábanas viejas o pliegos de papel grueso unidos con cinta adhesiva.
Pintura que no sea tóxica, como pintura vegetal o alguna otra que se produzca en el lugar donde viven. También pueden usar té, café, jugo de betabel, o agua de jamaica muy concentrada.
Ropa que puedan manchar (playera y pantalones cortos).
Recipientes para la pintura.
Música grabada. También pueden invitar a una persona que sepa tocar un instrumento musical.

Proyecto de ensamble
Al terminar el año pondrás en práctica todo lo que sabes de Educación Artística.

¿Qué opinas de tu libro?
Al final del libro hay un cuestionario. Llénalo para decirnos qué te pareció tu libro y en qué podemos mejorarlo. Tu opinión es muy valiosa ¡Gracias!

Bloque I

Ahora que inicias la primaria te acercarás nuevamente al arte y verás aspectos de la expresión corporal, la danza, el teatro, la música y las artes visuales.

Una imagen dice muchas cosas y provoca nuevas ideas. Observa la pintura y comenta con tus compañeros: ¿qué colores ves? ¿En dónde se encuentran los personajes?, ¿se mueven?, ¿hay sonidos?, ¿cuáles? Imita los sonidos y movimientos que imaginaste. Inventa una historia con los personajes y los objetos de la pintura.

Disfruta y aprende más sobre el arte. Visita museos, exposiciones, casas de cultura, espectáculos y conciertos en el lugar donde vives. Pregunta a tus familiares a qué actividades artísticas puedes ir.

Ojalá te gusten mucho tus clases de Educación Artística. ¡Bienvenido!

110 cm

Alejandro Colunga. *Circolunga* (2010), óleo sobre tela, 270 x 170 cm.

Consigan, entre todo el grupo, una caja que se convertirá en su "Baúl del arte". Aquí guardarán todos los objetos y materiales que usarán en algunas de sus clases.

Para la próxima clase… Necesitarás imágenes de personas recortadas de un periódico, revista o folletos; papeles de colores, cinta adhesiva, pegamento, tijeras de punta redonda, lápices de colores o crayolas y un papel grande para todos.

Aquí verás cómo se representa el cuerpo humano en algunas imágenes y desarrollarás tu capacidad de observación.

Lo que conozco

En muchos lugares ves imágenes del cuerpo humano. ¿Se parecen todas a ti?, ¿cuáles sí y cuáles no? ¿En dónde las has visto?

Observen las imágenes que trajeron; comparen unas con otras y con la que aparece en esta página. Luego, comenten entre todos: ¿en qué se parecen las personas? ¿En qué son diferentes? ¿En qué posición están? ¿Qué estarán haciendo?

Materiales:
Varios recortes en los que haya figuras humanas, papeles de colores, cinta adhesiva, tijeras de punta redonda, lápices de colores o crayones y un papel grande para todos.

Nacho López, *Patinando*, c. 1955.

- Entre todos van a crear un gigante gigantón. En los papeles de colores cada uno de ustedes dibujará diferentes partes del cuerpo humano. Observen las imágenes que trajeron y tomen su propio cuerpo como ejemplo.
- Pueden dibujar uñas, cabellos, narices ¡o bocas! Luego recórtenlas. Elijan una pared del salón y vayan pegando sobre el papel grande todos los recortes que hicieron.
- Una vez que esté listo el gigante gigantón, obsérvenlo y comenten: ¿cuántas piernas tiene? ¿Se parece a ustedes?, ¿en qué es diferente?, ¿de qué colores son sus ojos? Ahora, pónganle un nombre.

En el arte es necesario observar para descubrir todos los detalles, como hiciste hoy en tus actividades. Acostúmbrate a observar; es como si al mirar usaras una lupa para reconocer los más pequeños detalles.

Para la próxima clase...
Necesitarás música que te guste y un reproductor de sonido para todo el grupo.

Cueva de las manos, pintura rupestre de hace unos 9 000 años. Provincia de Santa Cruz, Argentina (fragmento: 190 x 128 cm, aprox.).

Un dato interesante
Algunas partes de nuestro cuerpo pueden servir como si fueran pinceles; por ejemplo, aquí las manos fueron la herramienta para crear la pintura.
A las primeras pinturas que se hicieron en las cuevas se les llama pinturas rupestres.

110 cm

En esta lección te moverás en distintas direcciones y reconocerás hasta dónde puedes estirar tu cuerpo.

Lo que conozco

¿Qué movimientos haces al bailar? ¿En qué actividades necesitas estirarte?

En la expresión corporal y la danza te expresas mediante el movimiento de tu cuerpo. Algunos movimientos son para ti más fáciles que otros. Durante esta clase descubrirás todos los que puedes hacer. Prepárate moviendo suavemente cada parte de tu cuerpo, ¿listo?

- Por parejas, intenten hacer estos movimientos e inventen otros: ¿podrían tocar las puntas de sus pies con las manos, pero sin doblar las rodillas?, ¿juntar sus codos por detrás de su espalda?, ¿qué tal tocar la punta de la nariz con la lengua? De todas estas acciones, ¿cuáles fueron más fáciles?, ¿hubo alguna que no lograron hacer?, ¿por qué habrá sido? Prueben con otras.

- Ahora junten las palmas de las manos con su compañero y desplácense por el salón con la música que trajeron. Prueben ir hacia atrás, hacia adelante y a los lados.

- Después intenten alejarse y acercarse lo más que puedan entre ustedes, sin separar las palmas.

Materiales:
Música y un reproductor de sonido para todo el grupo.

BLOQUE I

Los bailarines retan los límites de su cuerpo constantemente. Algunos pueden estirarse mucho, mientras que otros tienen gran fuerza; para lograrlo ensayan todos los días. ¿En esta clase pudiste conocer los límites de tu cuerpo? ¿Qué te pareció caminar manteniendo las manos juntas con las de un compañero?

Desafíos, 2009, Grupo DanceAbility Internacional México. Intérprete: Mario Alba.

Para la próxima clase…
Necesitarán una cobija para cada uno, música que les guste y un reproductor de sonido para todos.

Consulta en:
Hay una página muy interesante sobre el movimiento y las capacidades humanas: http://espanol.danceability.com/latinoamerica.php

En la danza existen tres niveles: alto, medio y bajo, vas a moverte en ellos y explorarás nuevos movimientos.

Lo que conozco

¿Cómo te mueves para alcanzar algo que está en un lugar alto: arriba de un mueble, o la fruta de un árbol?, ¿y cuando está en un lugar muy bajo: adentro de un hoyo o abajo de la cama?

Materiales:
Una cobija para cada uno, música que les guste y un reproductor de sonido para todos.

- Extiende la cobija en el piso y acuéstate sobre ella. Cierra los ojos, siente el latir de tu corazón y tu respiración.
- Ahora imagina que el techo del salón se acerca tanto a ti que no puedes ponerte de pie, a este espacio se le llama nivel bajo. ¿Cómo te moverías?

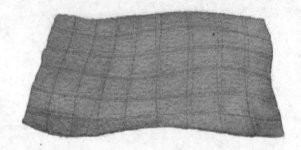

Te recomendamos...
Para que tus huesos crezcan sanamente es importante que ingieras alimentos con calcio, como los lácteos, también los pescados y mariscos acompañados con ensaladas de verduras ¡mmm!

- De pronto el techo sube, apenas lo suficiente para que puedas ponerte de pie: estás en el **nivel medio**. Pon algo de música y desplázate por tu salón en este nivel.

- Por fin, el techo regresa a su lugar ¡uf! Estírate lo más que puedas o salta para alcanzarlo; éste es el **nivel alto**.

- Regresa a tu cobija. Siéntate cómodamente y comenta con tus compañeros: ¿qué diferencias encontraste en los tres niveles?, ¿cuál de ellos disfrutaste más? ¿por qué?

Los niveles te serán de gran utilidad cuando experimentas con la expresión corporal y la danza. ¡No los olvides!

Antes de continuar con tus actividades, lávate bien las manos.

Para la próxima clase...
Necesitarás objetos del "Baúl del arte" que suenen al golpearlos, al frotarlos o cuando se sople a través de ellos.

Lección 5 ¡Pum, pas, shhh!

Durante esta lección reconocerás distintos sonidos que producen algunas cosas que te rodean. También los sonidos que puedes hacer con tu cuerpo, e identificarás el silencio.

Materiales:
Objetos del "Baúl del arte" que puedan producir sonidos.

Lo que conozco
¿Qué necesitas para hacer música?

Para hacer música necesitas combinar sonidos distintos. El sonido puede venir de instrumentos musicales o de muchos otros objetos.

Escucha con atención y trata de reconocer todos los sonidos que hay a tu alrededor. Dibuja en este espacio todo lo que escuches.

Con tu cuerpo produces sonidos: al aplaudir, al chasquear los dedos, al arrastrar los pies, al separar tu lengua del paladar... ¡Haz que tu cuerpo suene!

¿Hay música sin sonido? ¡Claro que sí! El silencio es muy importante en la música.

¿Cuánto tiempo puedes permanecer en silencio?

• Toma del "Baúl del arte" objetos que puedan producir sonidos. Tu maestro, o cualquier compañero, será el guía y marcará un ritmo con sus palmas, y todos juntos tratarán de seguirlo con sus instrumentos.

• Cuando el guía levante las manos, todos deberán hacer un silencio, que será tan largo como él quiera. En cualquier momento el guía puede hacer el ritmo más rápido o más lento. ¡Atención!

¿Piensas que la música nace del silencio? En música se combinan distintos sonidos con silencios.

José Gurvich, *Los tres músicos en colores primarios* (1968), óleo sobre madera, 46 x 29 cm.

Te recomendamos...
Limpiar tus orejas con la punta de una toalla.

Consulta en:
Si deseas conocer más sobre el sonido escucha esto:
http://www.fonotecanacional.gob.mx/canto/canto_planeta.html

110 cm

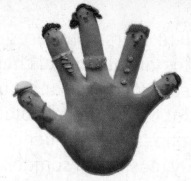

Aquí identificarás las diferentes partes de tu cuerpo y sus posibilidades de expresión.

Lo que conozco

¿Para qué utilizas tu cuerpo? ¿Alguna vez has jugado a ser un mueble?

En el teatro se hacen ejercicios para aprender a dominar el cuerpo y la voz. Tu cuerpo puede hacer muchas cosas que tal vez no has descubierto. En el siguiente juego dejarás de ser una persona y serás un objeto.

Para expresarte, utiliza tu cuerpo pero no la voz.

- Despejen el salón, dejando un área para el juego, y siéntense en el piso.
- Elijan a un compañero que diga dónde quiere ir.

- El compañero dirá: "quiero ir a la sala de mi casa" y se tapará los ojos.
- Ahora, de prisa todos deberán tomar posiciones de muebles y objetos que componen la sala de una casa, como sillones, tapetes, macetas, mesitas, lámparas, etcétera.
- Cuando todos sean objetos y muebles, su maestro les ayudará diciendo: "aquí está la sala, pase usted...", y nadie deberá mover ¡ni una pestaña!
- El compañero dará un paseo por la sala. Si alguien se mueve, le tocará ser quien dice dónde quiere ir.
- Imaginen todos los lugares que pueden elegir: cocina, corral, mercado, escuela u otros.
- Repitan varias veces el juego, así cada uno podrá ser diferentes muebles y objetos. Tendrás que trabajar con todo tu cuerpo para adoptar distintas posiciones.

Comenta con tus compañeros: ¿qué sentiste al permanecer inmóvil?

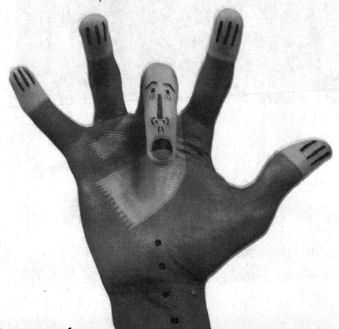

En teatro,

se usa la imaginación para crear personajes y situaciones con las que el cuerpo se expresa de diferentes maneras.

Marcel Marceau

Para la próxima clase...
Necesitarás gises de colores y un instrumento musical para todo el grupo, como pandero, claves o sonaja.

Alejandro Colunga. *Silla lectora* (2006), maqueta de escultura monumental, bronce a la cera perdida, 17 x 20 x 43 cm.

110 cm

Vayan al patio. Lleven los gises y el instrumento musical. Observen la ilustración. La mitad del grupo se acuesta en distintas posiciones y la otra dibuja sus siluetas. Intercambien papeles.

BLOQUE I

Materiales:
Gises de colores y un instrumento musical (pandero, sonaja, claves) para todo el grupo.

Cuando terminen, el maestro tocará el instrumento.

Corran entre las figuras en todos los niveles: bajo, medio y alto.

Cuando el maestro haga un silencio, acuéstense sobre alguna figura y tomen su posición. Al escuchar el instrumento, vuelvan a correr y repitan la actividad.

Comenta en grupo: ¿qué niveles utilizaste? ¿La silueta en que te acostaste se parece a la de tu cuerpo?, ¿por qué?

¿Qué tuvo que ver esta actividad con lo que aprendiste en tus clases anteriores?

Algunas veces las artes visuales, la danza y la música se combinan, como en el teatro, el cine o la ópera.

Para la próxima clase…
Necesitarás fotografías tuyas en diferentes edades; en caso de no tenerlas, puedes traer dibujos. También usarás un cuarto de cartulina, tijeras con punta redonda, pegamento y lápices de colores.

Autoevaluación

Es tiempo de que evalúes lo que has aprendido en este bloque. Lee cada enunciado y marca con una palomita lo que hayas logrado alcanzar.

Mi cuerpo me sirve para:

Expresarme con movimientos ☐   Expresarme con sonidos ☐   Expresarme por medio del dibujo ☐

Aprecio las emociones de otros a través de sus:

Movimientos ☐   Sonidos ☐   Dibujos ☐

Me propongo mejorar en: _____

_____

Bloque II

Hoy identificarás a través de fotografías los cambios que ha tenido tu cuerpo al crecer.

Lo que conozco

Comenta con tus compañeros: ¿qué diferencias hay entre un bebé recién nacido y tú? ¿Cómo puedes ver los cambios que ha tenido tu cuerpo a través del tiempo?

El crecimiento se puede registrar de muchas maneras. Por ejemplo, ¿alguna vez has marcado rayitas en la pared para ir midiendo tu estatura?, o ¿has plasmado las huellas de tus manos o tus pies para después comparar su tamaño?

Otra manera de percibir los cambios es viendo fotografías. A veces sólo miras las caras en una foto y no te fijas en el entorno.

- Observa tus fotos y comenta: ¿con quién apareces? ¿Qué objetos ves en la imagen? ¿Qué recuerdas del lugar en el que te encuentras? Las fotografías nos permiten congelar un momento en el tiempo.

- Si te dieron permiso, recorta las figuras humanas de las fotografías y pégalas en la cartulina, si no, utiliza tus dibujos. Después, piensa qué objetos le corresponden a cada quien y dibújalos. Un bebé puede tener una sonaja; alguien de tu edad, su juguete favorito o lápices de colores. Cuando seas grande, ¿qué objetos te gustaría tener o usar?

Materiales:
Fotografías tuyas (o dibujos que te representen cuando eras más pequeño), un cuarto de cartulina, tijeras de punta redonda, pegamento, lápices de colores.

Tina Modotti, *Madre e hijo* (c. 1929).

Observen los trabajos de sus compañeros y compárenlos con los de ustedes. ¿Utilizaron los mismos objetos? ¿Qué diferencias encontraron?

En la actividad que acaban de hacer usaron principalmente la memoria, que en educación artística es muy importante porque gracias a ella recordamos con más precisión lo que hemos visto.

Un dato interesante
Manuel Álvarez Bravo y Tina Modotti se encuentran entre los fotógrafos más importantes de nuestro país porque sus trabajos son de gran calidad artística. Como puedes observar, a ellos les gustaba retratar niños de diferentes edades.

Manuel Álvarez Bravo, *Las lunas* (1973), Ciudad de México.

Consulta en:
Si deseas conocer más sobre la fotografía:
http://www.patriagrande.net/mexico/tina.modotti/index.html

Para la próxima clase...
Necesitarás acuarelas, lápices de colores o crayones, un cuarto de cartulina o cartón, y elástico o cordón.

En esta lección te expresarás por medio de tu rostro y de tu cuerpo.

Lo que conozco
¿Cómo te mueves cuando estás triste? ¿Y cuando estás muy contento?

Materiales:
Acuarelas, lápices de colores o crayones, un cuarto de cartulina o cartón, y elástico o cordón.

Los músicos usan su voz o algún instrumento para expresarse. En cambio, los bailarines y los actores se expresan mediante todo su cuerpo, así lo harás tú en esta lección.

- Formen equipos. En un lugar del salón los integrantes de cada equipo tomarán distintas posiciones, como si estuvieran posando para una foto.
- Representen diferentes emociones o estados de ánimo, exagerando la expresión de su rostro y la posición de su cuerpo. Piensen en cómo se sienten cuando están felices o cuando están enojados, tristes o asustados.
- Pueden recurrir a los niveles alto, medio y bajo, para hacer la foto más interesante.
- En diferentes lugares del salón, hagan todas las fotos que se les ocurran y observen las expresiones de sus compañeros.

Comenten: ¿cómo sintieron su cuerpo al exagerar sus gestos? ¿Pudieron reconocer las emociones que representaban sus compañeros?, ¿cómo?

En tus expresiones y en las de tus compañeros pudiste observar que el cuerpo comunica muchas cosas sin necesidad de utilizar las palabras.

Consulta en:
Si deseas conocer más sobre cómo puedes utilizar la expresión de tu rostro al bailar, mira esta página: http://www.onirico.com.mx/

Para la próxima clase...
Necesitarás objetos del "Baúl del arte" con los que puedas producir sonido. Música y un reproductor de sonidos para todos.

Un dato interesante
¿Conoces el alfabeto de señas? Con él se comunican las personas con discapacidad auditiva. Además de sus manos, utilizan los gestos para conversar.

Biografía del deseo, Compañía Tania Pérez Salas.

En esta lección reconocerás el pulso, tanto en tu cuerpo como en la música.

Lo que conozco

¿Es posible que los músicos, cuando tocan en grupo, vayan contando juntos y en silencio? ¡Claro! Lo hacen siguiendo un pulso; es decir, cuentan siempre al mismo tiempo, sin ir más rápido o más lento.

Materiales:
Objetos del "Baúl del arte" con los que puedas producir sonidos. Música y un reproductor de sonidos para todos.

Viaje al sur, Compañía Cristina Hoyos.

Pon tu mano en el pecho y sentirás el pulso de tu corazón, parece constante, como si fuera musical. Pero si corres, el pulso de tu corazón irá más rápido.

Contarán en silencio, como lo hacen los músicos.

- Empiecen contando del uno al tres en voz alta, siempre iguales.

Uno, dos, tres;

uno, dos, tres;

uno, dos, tres.

- Ahora jueguen a no decir el tres en voz alta. Cuéntenlo en silencio.

Uno, dos,   ;

uno, dos,   ;

uno, dos,   .

- Luego cuenten en silencio el dos y el tres.

Uno,   ,   ;

uno,   ,   ;

uno,   ,   .

Alondra de la Parra dirigiendo a la Orquesta de las Américas.

- Ahora cuenten del uno al tres en silencio, tratando de ir iguales. Para ayudarse, den una palmada cuando vayan en el uno.

pas,   ,   ;

pas,   ,   ;

pas,   ,   .

¿Lo lograron?

Para finalizar, escuchen la grabación de una canción e identifiquen el pulso de la pieza. Síganlo con las palmas. Siempre vayan juntos: que nadie se adelante o se atrase.

Todos los músicos, los que tocan instrumentos grandes o pequeños, los que tocan en conciertos o sólo por jugar, saben seguir un pulso contando en silencio.

Un dato interesante

El compositor austriaco Franz Joseph Haydn (1732-1809) compuso una sinfonía titulada El *reloj*; en ella, algunos instrumentos imitan el tictac de un reloj.

En esta lección aprenderás que no sólo nos comunicamos con las palabras, también utilizamos el cuerpo.

Lo que conozco

Además de usar la voz ¿de qué otra manera te comunicas?

¿Por qué las personas se mueven diferente cuando hace frío y cuando hace calor?

Divídanse en cuatro equipos. Compartan lo que saben sobre las estaciones del año, ¿cómo nos comportamos en cada clima? Elijan una de las cuatro estaciones del año.

- Representen cómo se comportan las personas en cada estación.

No hablen, sólo hagan sonidos, movimientos y gestos.

- Por ejemplo, piensen que es invierno y están en un lugar donde cae nieve: sienten frío, se mueven como si estuvieran abrigados y beben chocolate caliente junto a una fogata.
- Pueden representar las diferentes estaciones como ustedes las conocen en el lugar donde viven.
  - Presenten ante sus compañeros la estación que eligieron.

Al finalizar, comenta: ¿qué te pareció comunicarte sólo con gestos y movimientos? ¿Tus compañeros entendieron con facilidad lo que querías decir?

Con el cuerpo puedes representar todo lo que observas; tus aprendizajes de educación artística te ayudarán.

Para la próxima clase... Necesitarás música, un reproductor de sonidos para todos y objetos del "Baúl del arte".

Historias de viaje. Onírico. Danza-teatro del gesto.

¿Has pensado cómo son otras ciudades o pueblos? Con la imaginación podemos inventar cosas que no existen en la realidad. En esta lección crearán un viaje imaginario, ¿listos?

Materiales:
Música y un reproductor de sonido para todos, objetos del "Baúl del arte", las mesas y sillas del salón.

Ponte de acuerdo con tu grupo sobre el lugar al que quisieran viajar. Entre todos inventen una nave haciendo uso de las cosas del "Baúl del arte" y de las sillas y mesas de su salón. El combustible para despegar será un pulso; márquenlo entre todos, como hicieron en la lección de música.

Al llegar a su destino pongan algo de música, bajen y exploren el lugar.

¿Cómo explorarían un lugar que no conocen? ¿Cómo se movería su cuerpo si en ese lugar hiciera mucho calor, o frío, o se pudiera nadar?

Imaginen que toman varias fotos para llevarlas de recuerdo; posen como en la lección "Fotos corporales". Reacomoden su salón y comenten: ¿cómo vivió cada uno su experiencia? ¿Qué dificultades encontraron al realizar la actividad?

Los artistas, al igual que tú, también juegan con su imaginación para crear sus obras. ¿Te gustaría ser artista?

Para la próxima clase...
Cada uno de ustedes necesitará una caja de zapatos u otra de tamaño parecido, o un cartón, lápices de colores o crayones, pinturas de colores, pinceles y elástico o cordón.

Autoevaluación

Es tiempo de que evalúes lo que has aprendido en este bloque. Lee cada enunciado y marca con una palomita lo que hayas logrado alcanzar.

A mí me gusta expresar mis emociones en:

Teatro ☐ Danza ☐ Dibujos ☐

Me comunico sin palabras, a través de:

Danza ☐ Sonidos ☐ Teatro ☐

Me propongo mejorar en: _____
_____

Bloque III

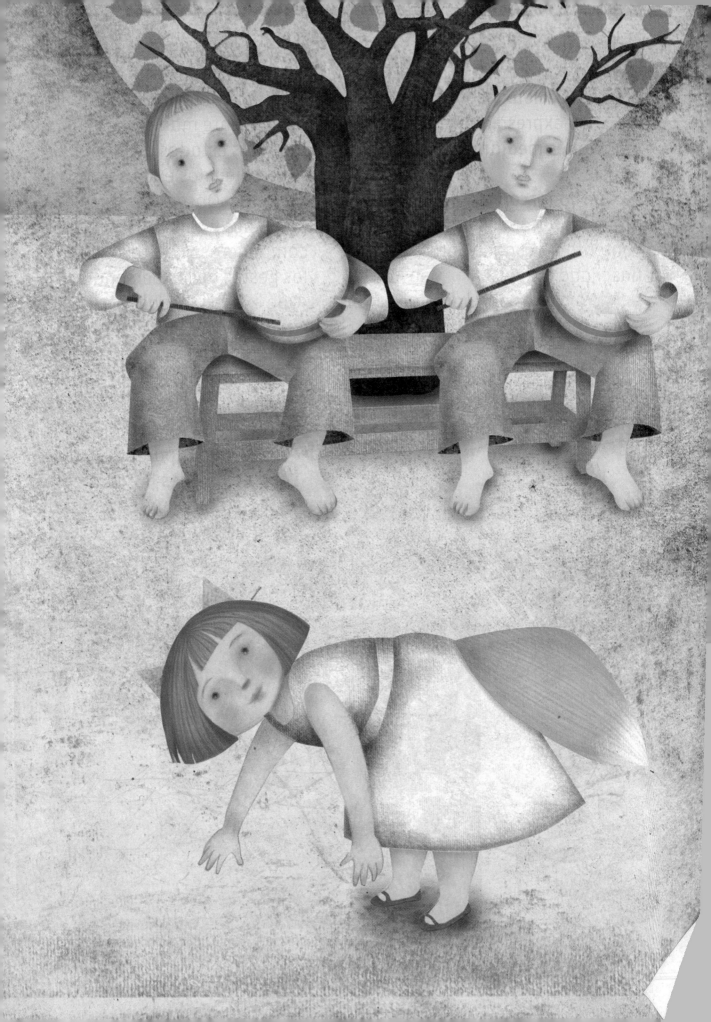

En esta lección observarás que el rostro expresa diferentes emociones mediante gestos.

Lo que conozco

¿Cómo es tu cara cuando estás contento? ¿Y cuando lloras? ¿Te has fijado en los **gestos** y en las **posturas** de las personas que están en las fotografías o en un cartel?

En el rostro tenemos músculos que nos sirven para abrir la boca, hacer muecas, fruncir el ceño, etcétera. Al mover los músculos de diferente manera se expresan distintos estados de ánimo.

También nos expresamos con el cuerpo. Observa las siguientes imágenes y comenta con tus compañeros: ¿qué te dicen los gestos de los personajes? ¿Qué expresa la posición de los cuerpos?

Ahora haz una máscara. Este ejercicio requiere atención, observación y respeto.

- Trabajen por parejas. Primero, uno de ustedes hará un gesto: por ejemplo, ¿qué cara harías si te ofrecieran tu fruta favorita?

Materiales:

Una caja de zapatos o un cartón, lápices de colores o crayones, pinturas de colores, pinceles y elástico o cordón, para cada uno de ustedes.

Desiderio Hernández Xochitiotzin, *Reunión de los cuatro señores de Tlaxcala* (1957-1967, detalle), mural al fresco, Palacio de Gobierno del Estado de Tlaxcala.

- Tu compañero observará cuidadosamente todo lo que ocurre en tu rostro y lo dibujará en la caja. Luego inviertan los papeles. Traten de registrar cada detalle. ¿Cómo cambian sus ojos?, ¿Cómo se mueven sus labios?
- Debes respetar a tus compañeros cuando se estén expresando. Ellos también te respetarán a ti.
- Cuando terminen, coloquen un elástico o cordón a la máscara para que puedan usarla.
- Luego, uno por uno vayan pasando al frente con las máscaras puestas para que los demás identifiquen lo que quisieron expresar.

¿Cuáles fueron los gestos más utilizados? ¿Cuáles les gustaron más? ¿Usaron colores parecidos?

 Para la próxima clase…
Necesitarás música y un reproductor de sonido para todos.

 Consulta en:

Si deseas aprender otras maneras de dibujar http://www.arteymercado.com/menudoarte/paleta1.html

⊢ 110 cm ⊣

Algunos pintores dan mucha importancia a los gestos y a la posición de las personas que aparecen en sus obras. Esteban Murillo es el creador de esta pintura y aquí los niños tienen expresiones y posturas tan naturales como las tuyas cuando juegas con tus amigos.

Esteban Murillo, *Niños jugando a los dados*. (1670-1675, aprox.), óleo sobre lienzo 108.5 x 146 cm.

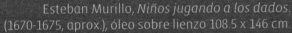

Aquí moverás algunas partes de tu cuerpo para expresar emociones.

Lo que conozco

Intenta mover sólo tus orejas, ¿lo lograste?

Algunos animales mueven ciertas partes de su cuerpo para expresar una emoción; por ejemplo, un perro mueve su cola cuando está feliz.

¿Conoces otros animales que se comuniquen de esta manera?

Materiales:
Música y un reproductor de sonido para todos.

Despejen su salón y divídanse en equipos pequeños.

- Elijan una parte del cuerpo e intenten moverla con una emoción. Imaginen cómo se movería una mano miedosa, ¿y unas rodillas felices? ¡Jueguen con su imaginación!
- Utilicen música cuando muestren sus movimientos a los demás equipos para que adivinen la emoción que ustedes están expresando.
- Realicen el ejercicio combinando todas las emociones y las partes del cuerpo que quieran.

En otra lección expresaste emociones pero utilizando todo tu cuerpo, ¿qué diferencias notaste al hacerlo ahora?

Las partes más pequeñas de nuestro cuerpo pueden expresar grandes cosas.

Niño mayo, Sonora.

Un dato interesante
A veces, en la danza se imitan los movimientos de algunos animales, por ejemplo en la *Danza del venado*, de Sonora.

Para la próxima clase...
Necesitarás objetos del "Baúl del arte" con los que puedas producir sonidos.

Durante esta lección reconocerás que la duración de los sonidos puede variar. Además inventarás canciones para jugar con tu cuerpo.

Lo que conozco
Comenta con tus compañeros cómo o con qué pueden producir sonidos largos.

La música siempre juega con sonidos de distinta duración.

Materiales:
Objetos del "Baúl del arte" con los que puedas producir sonidos.

- Intenta dar muchas palmadas, una tras otra, rápido, rápido, rápido; esos sonidos siempre serán cortos.
- Tu voz es capaz de hacer sonidos largos. Haz una "a" larga, laaaarga. ¿Cuánto tiempo puedes hacerlo antes de quedarte sin aire? Inventa otras formas de producir sonidos largos con tu cuerpo.
- Con tu voz puedes producir sonidos largos y cortos. Juega haciendo una vocal larga y luego varias cortitas. Crea todas las combinaciones que se te ocurran.

Pon una línea corta debajo de los objetos que producen sonidos cortos y una línea larga debajo de los objetos que pueden hacer sonidos largos.

¿Conocen canciones que hablen sobre las partes de su cuerpo? ¿Cuáles? Cántenlas.

¿Se animan a inventar una canción que hable del cuerpo y de la duración de los sonidos?

La letra puede decir: "Mis brazos se estiran con un sonido laaaargo". Alarguen mucho la vocal "a" de la palabra "largo".

laaargo

Y puede continuar así:
"Mis manos se agitan con sonidos cortos, cortos, cortos, cortos".

cortos cortos cortos

Lo anterior es sólo un ejemplo. Inventen la letra de su canción. Combinen sonidos largos y cortos.

Anótenla en el pizarrón para recordarla. Inventen canciones con sonidos largos y cortos imitando animales. Por ejemplo:

"La jirafa tiene el cuello laaaargo".

También con sonidos cortos: "El ratón tiene dedos cortos, cortos, cortos". Esta canción pueden acompañarla con objetos del "Baúl del arte".

Un grupo de muchas personas que cantan juntas ¡puede hacer un sonido tan largo que no termine jamás! Mientras unos respiran, otros cantan y luego cambian.

Consulta en:
Si deseas conocer otras canciones:
http://www.sep.gob.mx/wb/sep1/sep1_Rondas_y_Canciones

Para la próxima clase...
Necesitarás diversas frutas, una cobija, un perfume o una flor, un instrumento musical y un libro para todo el grupo. Durante la semana, reconoce tu entorno mediante tus sentidos.

Aquí aprenderás la importancia de los sentidos para reconocer tu entorno.

Lo que conozco

¿Cuáles son tus sentidos?, ¿qué puedes hacer con ellos?

Es muy importante para un actor de teatro representar los sentidos. Por ejemplo, si le toca interpretar a alguien que está comiendo una manzana, pero sin emplear una manzana de verdad, hará como que la frota y luego como que le da una mordida; así, el espectador sabrá que está comiéndola.

Materiales:
Diversas frutas, una cobija, un perfume o una flor, un instrumento y un libro para todo el grupo. Recuerden que las frutas deben estar lavadas antes de que se las coman.

Van a jugar al vendedor ambulante. En grupo, siéntense en el suelo, dispersos por todo el espacio, como en la plaza de un pueblo. Elijan un compañero para que sea el vendedor.

Él guardará los objetos que quiere vender en alguna mochila del salón y comenzará a ofrecerlos. Pero no debe decir el nombre de lo que lleva, sólo puede describir su sabor, olor, textura, sonido, color, forma.

Por ejemplo: "traigo ricos y deliciosos sabores rojos, perfumados que encantarán a sus paladares...".

Luego de varios intentos por adivinar, el vendedor mostrará la mercancía.

Pueden ir cambiando de vendedor.

¿Cómo lograron adivinar los objetos? Y a los vendedores, ¿les resultó fácil describir los objetos sin decir su nombre?

Los sabores y olores, así como las texturas, los colores y los sonidos nos sirven para conocer el mundo.

A lo largo de estos bloques has utilizado tu cuerpo para comunicarte de diferentes maneras.

Piensa en tres acciones o emociones diferentes que suceden lentamente y en tres que son muy rápidas. Elige una parte de tu cuerpo y un sentido para interpretar y describir cada una de las acciones.

- Piensa cómo representarlas.
- Cada uno de ustedes pasará al frente y exagerará las emociones para que todos entiendan de qué acción se trata.
- Por ejemplo, pueden comenzar así: "aquí estoy y tengo brazos laaaaargos, laaaargos... a veces me cuelgan como si estuvieran tristes, y son suaves".

Los bailarines, los mimos y los actores son especialistas en usar su cuerpo para contar historias. Ellos utilizan sus manos y sus gestos para comunicarse y son hábiles para expresar con su cuerpo lo que desean.

Canita conoce a Coquín, Compañía Mundo Mágico.

Para la próxima clase... Necesitarás lápices de colores, crayones o gises y una tira larga de papel (de aproximadamente 20 cm de ancho x 80 cm de largo).

Autoevaluación

Es tiempo de que evalúes lo que has aprendido en este bloque. Lee cada enunciado y marca con una palomita lo que hayas logrado alcanzar.

En mis juegos utilizo sonidos:

☐   ☐

laaargos   cortos

Reconozco las emociones de mis compañeros a través de gestos como:

☐   ☐   ☐

Me propongo mejorar en: _____

_____

Bloque IV

En esta lección aprenderás a emplear diferentes trazos y formas inspiradas en cuerpos en movimiento.

Lo que conozco
Cuando ves la fotografía de una fiesta, ¿cómo sabes qué personas están bailando y cuáles no? ¿Cómo haces para representar el movimiento en tus dibujos?

El movimiento está presente en todos los aspectos de tu vida. Aunque estés dormido y no te des cuenta ¡te mueves! ¿Has observado qué hacen tus pies al caminar? En tu salón, ¿qué están haciendo tus compañeros ahora?

El movimiento cotidiano, como caminar a la escuela, subir y bajar escaleras o el ejercicio físico te ayudan a que te mantengas sano y con energía.

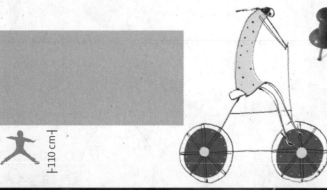

Materiales:
Necesitarás lápices de colores, crayones o gises y una tira larga de papel (de aproximadamente 20 cm de ancho por 80 cm de largo).

Diego Rivera, *La piñata* (1953), temple sobre tela, 498 x 246 cm.

A veces, los artistas visuales tratan de representar movimientos. Observa la pintura *La piñata*, de Diego Rivera. ¿Qué está haciendo cada uno de los niños?, ¿en qué posiciones aparecen?, ¿todos lograrán recoger las frutas?, ¿qué movimientos hacen para lograrlo?

Edward Henry Potthast, *A la orilla de la mar* (1905), óleo sobre tela, 406 x 311 cm.

En esta fotografía, si la observas con atención, hay movimiento, pero el artista eligió representarlo a través de muchas imágenes fijas. Esta fotografía te puede servir para realizar el siguiente ejercicio.

Edward Muybridge, *Animal locomotion* (1887).

Leonardo da Vinci, boceto para una bicicleta (c. 1490), dibujo con carboncillo.

Ahora van a llevar a cabo una sesión de dibujo.

- Uno de ustedes será el modelo y pasará al frente. Decidirá una pose y se quedará quieto mientras los demás lo observan y lo dibujan en la tira de papel.
- Repitan la actividad varias veces, cambiando de modelo.
- Cuando terminen, coloquen las tiras en el suelo, obsérvenlas y comenten en grupo sus dibujos.

¿Qué movimientos observan?, al ver todas las poses juntas en los papeles, ¿percibes diferentes movimientos?, ¿qué fue lo que más trabajo te costó al dibujar a tus compañeros?, ¿te gustó más posar o dibujar?

Camille Claudel, La ola (1897), onix y bronce sobre pedestal de mármol, 61 x 48 x 61 cm.

BLOQUE IV

110 cm

Los pintores y los escultores tienen la capacidad de representar el movimiento en sus trabajos. ¿De qué manera relacionas lo que aprendiste hoy en esta lección con lo que has practicado en tus ejercicios de danza?

Silvana Kelm, *Armonía* (2007, detalle), acrílico y hierro, 60 x 70 x 275 cm.

En esta lección reconocerás el espacio que ocupa tu cuerpo al moverte.

Lo que conozco

¿Has estado rodeado de mucha gente con poco espacio para moverte? ¿Cuál fue tu sensación?

La **kinesfera** es una esfera imaginaria que envuelve tu cuerpo cuando te mueves. Es tu gran amiga.

Ponte de pie e imagina que estás dentro de ella. Intenta alcanzar todos sus lados con diferentes partes de tu cuerpo.

Ahora, en equipos, formen una línea y caminen por todo el salón. Prueben hacer pasos cortos y largos. Lo más importante es ir siempre juntos y mantener la línea sin chocar entre ustedes ni tropezar con los objetos del salón.

Finalmente, siéntense en un círculo para compartir su experiencia y reflexionen sobre lo siguiente:

Algunos animales, como los pájaros, se desplazan en grupo creando figuras en el aire, ¿los han observado? Ellos nunca chocan entre sí, ¿por qué será?

El **espacio** es un elemento indispensable para que explores tus posibilidades de movimiento. Todos necesitamos de él para movernos. ¡Cuida tu espacio y respeta el de los demás!, como los pájaros cuando vuelan en grupo.

Para la próxima clase...
Necesitarás objetos del "Baúl del arte" que produzcan sonidos cuando alguien los golpee, frote o sople a través de ellos.

Aquí aprenderás a distinguir la intensidad y la altura de los sonidos.

Lo que conozco

¿Es igual el sonido que produce un trueno al que hace un grillo por las noches? Coméntalo con tus compañeros.

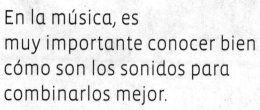

En la música, es muy importante conocer bien cómo son los sonidos para combinarlos mejor.

Tal vez en alguna ocasión jugaste a subir y bajar el volumen, o **intensidad**, de un televisor o de un radio.

De esta manera convertías el sonido en fuerte o suave.

- Tomen objetos del "Baúl del arte" para producir sonidos.
- Hagan un gran espacio al centro del salón, y distribúyanse en él con sus objetos.
- Su maestro, o cualquier compañero, pueden guiar el siguiente juego. Cuando él diga: "centro" todos irán hacia el centro del salón, agachándose y tocando sus instrumentos, suavizando el sonido hasta que casi no se escuche nada.
- Cuando diga: "arriba" van a separarse unos de otros, lo más lejos que puedan, tocando cada vez más fuerte y estirando su cuerpo.

Divídanse en dos equipos. Ahora jugarán también con la **altura** del sonido.

Materiales: Objetos del "Baúl del arte" que produzcan sonidos cuando alguien los golpee, frote o sople a través de ellos.

Tííííííínn

Túúúú...

- En el primer grupo, estarán los que tienen instrumentos que hacen sonidos agudos, chillones o delgados, como los de un ratón o un ave pequeña.
- En el segundo equipo, estarán los que tienen instrumentos que producen sonidos graves, gruesos y profundos, como el croar de un sapo o como el motor de un gran camión de carga.
- Ahora, el maestro o el guía jugará con los dos equipos al mismo tiempo. Podrá decir "equipo dos, centro" o "equipo uno, arriba". Los equipos deberán seguir las reglas del juego anterior.

Andrew Lewis, *Chopin*, 73 x 103 cm.

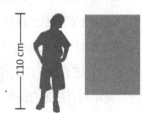

Poom..

En los grandes conjuntos musicales también se juega haciendo sonidos en equipo. El equipo de los violines puede tocar suavemente mientras los tambores hacen un fuerte estruendo.

Te recomendamos...
No escuches música demasiado fuerte o con elevada intensidad, porque lastimas tus oídos y disminuyes tu capacidad auditiva.

Un dato interesante
El compositor ruso Piotr Ilich Tchaikovsky (1840-1893), en su *Obertura solemne 1812* quería utilizar sonidos tan fuertes que sugirió ¡usar cañones de verdad para producirlos!

Aquí aprenderás a delimitar el espacio para tus juegos teatrales.

Lo que conozco
¿Qué espacios utilizas para jugar?

En nuestro país hay diferentes leyendas sobre las serpientes. Para las culturas maya y mexica eran muy importantes.

Ahora van a jugar a la serpiente atrapada.

- Elijan un espacio amplio y tracen con un gis un rectángulo muy grande. Formen una fila, tómense de la cintura y comiencen a caminar como si fueran una gran serpiente. Imaginen que avanzan por diferentes tipos de terreno.

- Dentro del rectángulo inhalen, estírense y vayan inflando el cuerpo de la serpiente como si fueran un globo. Imaginen que una aguja pincha el globo y éste se desinfla hasta caer al piso.

- Cada vez que se desinfle el globo deberán reducir un poco el tamaño del rectángulo. Al final ya va a ser muy pequeño y cada vez será más difícil que todos estén dentro de él.

¿Cómo cambiaron los movimientos al reducirse el espacio?

Trabajando en grupo y de manera coordinada pueden lograr representaciones muy interesantes en diferentes tipos de espacio.

Para la próxima clase... Necesitarás tres cobijas pequeñas o petates, objetos del "Baúl del arte" que produzcan sonidos cuando alguien los golpee, frote o sople a través de ellos.

¡Hoy navegarán en un barco! Jugarán a ser marineros que intentan sobrevivir al hundirse su barco. Despejen el centro del salón y coloquen las cobijas sobre el piso, como si fueran barcos.

Materiales:

Tres cobijas pequeñas o petates, objetos del "Baúl del arte" que produzcan sonidos cuando alguien los golpee, frote o sople a través de ellos.

Ahora, formen dos equipos. Uno de marineros y otro de músicos.

- Imaginen que dos barcos se hunden. Los marineros deberán nadar hasta el barco que queda para salvarse. Recuerden los movimientos que hicieron en su kinesfera.
- Tendrán que ayudarse unos a otros y tratar de sobrevivir.

Mientras, el equipo de los músicos produce con su voz los sonidos del mar y usa objetos del "Baúl del arte" para representar una gran tormenta.

Para finalizar, siéntense todos en círculo y comenten: ¿cómo fue la experiencia que vivieron?, ¿cómo lograron salvarse?

Recuerda que, al igual que en cualquier juego, en el arte también hay reglas.

Para la próxima clase... Necesitarás un lápiz, hojas, plastilina, libros de texto, revistas o periódico.

110 cm

María Rosa Astorga, *Barca en la tormenta* (2010), encausto sobre madera, 50 x 50 cm.

Autoevaluación

Es tiempo de que evalúes lo que has aprendido en este bloque. Lee cada enunciado y marca con una palomita lo que hayas logrado alcanzar.

Roconozco en las fotografías:

Gestos

Movimiento

Posturas

Me gusta dibujar:

Movimiento

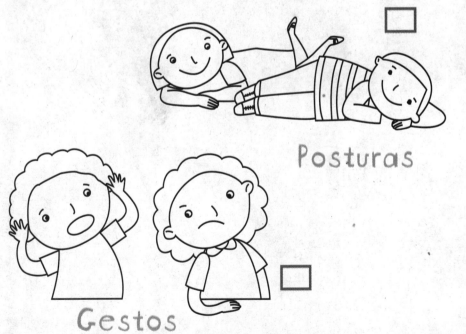

Posturas

Gestos

Me propongo mejorar en: _____

_____

Bloque V

En esta lección crearás imágenes para representarte en situaciones distintas a las que vives ahora.

Lo que conozco

En tu comunidad la gente tiene distintos empleos. ¿Dónde trabajan?, ¿cómo se visten para trabajar?, ¿qué herramientas usan?

Materiales:
Un lápiz, hojas, plastilina, libros de texto, revistas o periódico.

Identifica, en tus libros de texto, revistas o periódicos, figuras de hombres y mujeres en diferentes actividades de trabajo.

¿Cómo se visten?, ¿qué actividad están realizando?

Imagina qué trabajo te gustaría tener cuando seas grande, ¿ya? Ahora dibújate realizando ese trabajo, debe ser un dibujo sencillo; no olvides poner las herramientas y los objetos que te ayudarán a desarrollar esa actividad.

Estos dibujos sencillos son una guía que se hace antes de la obra final y se llaman **bocetos**.

Modela con plastilina lo que te gustaría ser; toma como base el boceto, pon cuidado en cada uno de los detalles.

Las mujeres y los hombres tienen la capacidad para realizar actividades semejantes.

Existen escultoras y escultores, bailarinas y bailarines, mujeres y hombres policías. Hay muchas otras profesiones que comparten hombres y mujeres. ¿Todos podemos realizar los mismos trabajos?

Futbol en Copacabana, La Paz, Bolivia.

Un dato interesante En el siglo XVII, en Europa, tanto los hombres como las mujeres utilizaban maquillaje y largas pelucas.

Para la próxima clase… Necesitarás música instrumental y un reproductor de sonido para todo el grupo.

Lección 20 Bailo lo que veo

En esta lección aprenderás que los movimientos y las acciones que realizamos todos los días pueden transformarse utilizando la creatividad.

Materiales:
Música instrumental y un reproductor de sonido para todo el grupo.

Lo que conozco

¿Qué haces antes de ir a la escuela?

En expresión corporal y danza puedes utilizar las acciones que realizas todos los días para inventar nuevos movimientos.

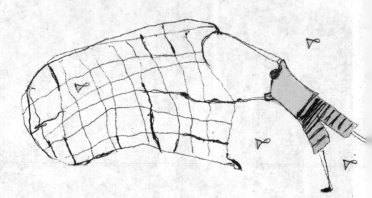

Danza de los tumbis, Michoacán.

- Elabora con dos compañeros una pequeña historia sobre algún evento del día. Apóyate en lo que viste en el bloque I de tu libro de Exploración de la Naturaleza y la Sociedad.
- Interpreten la historia exagerando o transformando las acciones, por ejemplo: ¿cómo se bañarían en cámara lenta?, ¿podrían peinarse con los pies?
- Utilicen lo que han aprendido durante este año en danza: los niveles, el uso de los gestos y del espacio.
- De la música que trajeron de casa, escojan una y presenten sus acciones a todos los equipos.

Comenten de qué trataban las historias que vieron.

Cuando asistas a una fiesta, cuando utilices el transporte público del lugar donde vives o bien, cuando vayas al mercado, observa las acciones de la gente e imagina de qué manera podrías transformarlas en una danza.

Para la próxima clase...
Necesitarás objetos del "Baúl del arte" que produzcan sonidos y cuatro pañuelos para vendar los ojos.

Es tiempo de repasar y diferenciar las cualidades o características del sonido.

Lo que conozco
Comenten: ¿por qué todos los sonidos son distintos?

Antes de jugar a las adivinanzas debes saber que todos los sonidos tienen cuatro cualidades especiales que los hacen únicos.

Materiales:
Objetos del "Baúl del arte" que produzcan sonidos y cuatro pañuelos para vendar los ojos.

Tú las puedes descubrir si escuchas con atención.
Los sonidos son:

– Largos o cortos (**duración**).
– Fuertes o suaves (**intensidad**).
– Agudos o graves (**altura**).
– Diferentes de otros, según el objeto o instrumento que los produce (**timbre**).

- Cuatro alumnos pasarán al frente y se vendarán los ojos.
- Los demás elijan un objeto del "Baúl del arte" y durante un rato hagan con él sonidos cortos o largos, fuertes o suaves.
- Todos deberán preguntar al mismo tiempo al primer compañero: "¿corto o largo?",

para que responda qué duración tiene el sonido que escucha.

- Pasarán luego al siguiente adivinador y todo el grupo preguntará: "¿fuerte o suave?". Para el tercero la pregunta será: "¿agudo o grave?", y para el cuarto: "¿qué lo produce?".

Ahora cambien el juego, todos serán adivinadores al mismo tiempo.

- Cubran sus ojos con las manos o bajen su cabeza para no mirar. El maestro, o cualquier compañero, tocará un objeto y les hará las mismas preguntas.
- Por último, escuchen varios sonidos del entorno y determinen cómo son sus cuatro cualidades.

Asistir a un concierto es toda una fiesta sonora en la que se combinan sonidos que provienen de distintos instrumentos. Al mismo tiempo se escuchan intensidades suaves y fuertes, junto a sonidos largos que se combinan con cortos.

Para la próxima clase…
Necesitarás un muñeco hecho de cualquier material, puede ser un calcetín con ojos de botón.

Un dato interesante
El compositor austriaco Wolfgang Amadeus Mozart (1756-1791), siendo aún un niño, podía tocar el piano con los ojos vendados ¡sin equivocarse!

Tu voz tiene muchas y diferentes posibilidades. Aquí explorarás algunas de ellas y después compartirás con tus compañeros lo que hayas descubierto.

Lo que conozco

¿Sabes de dónde sale tu voz?

El aparato fonador produce sonidos cuando pasa aire por las cuerdas vocales y las hace vibrar.

Materiales:
Un muñeco hecho de cualquier material.

Toca tu cuello mientras hablas, para sentir la vibración de las cuerdas vocales.

¿Podrías imitar la voz de otra persona para hacer un personaje?

- Reúnanse en equipos.
- Inventa la voz que le dará vida al muñeco que trajiste.
- Intercambien turnos para que todos escuchen la voz que crearon para su personaje.
- Realicen otros ejercicios explorando distintas voces.

¿Qué sentiste al hacer otra voz?

Un dato interesante
México tiene una gran tradición de títeres. Existen colecciones muy famosas, como la de la familia Rosete Aranda.

Doblaje de la película *Cómo entrenar a tu dragón*.

Taller Infantil de Artes Plásticas (TIAP), Taller de modelado (c. 1940).
Colección de Tito y Tita (Fundación Cultural Roberto Lago, AC).

En el teatro, la voz es muy importante porque a través de ella el actor da vida al personaje que interpreta.

Los animales se comunican por medio de gestos, sonidos y movimientos. Por ejemplo, los delfines emiten sonidos para comunicarse. Los chimpancés usan ruidos y gestos.

- Cada uno de ustedes elija un animal y piense: ¿cómo se mueve?, ¿qué sonidos hace?, ¿son graves o agudos, largos o cortos?
- Ahora, colóquense en un círculo. Su maestro, o algún compañero, propondrá en qué situación se representará al animal. Por ejemplo, si dice ¡dormidos! cada uno dormirá como lo haría el animal que escogió.

Recuerden hacer los sonidos, gestos y movimientos que identifican a esos animales. Al finalizar comenten qué fue lo que más disfrutaron al realizar la actividad.

En el teatro y en la danza utilizamos los gestos y nuestro cuerpo para expresarnos.

Para la próxima clase... Necesitarás una o varias sábanas viejas o varios pliegos de papel grueso unidos con cinta adhesiva, pintura no tóxica (té, café, betabel, etcétera). Short, playera y zapatos que se puedan manchar. Recipientes para la pintura. Música grabada.

Autoevaluación

Es tiempo de que evalúes lo que has aprendido en este bloque. Lee cada enunciado y marca con una palomita lo que hayas logrado alcanzar.

Con mis lecciones de Educación Artística logré:

Expresarme con artes visuales

Expresarme con música

Expresarme con el teatro.

Lo que aprendí en Educación Artística lo utilicé para:

Hacer un cartel de Exploración de la Naturaleza y la Sociedad.

Hacer movimientos rápidos o lentos en mi clase de Educación Física.

Comunicarme de diferentes maneras.

Me propongo mejorar en: _____

_____

Proyecto de ensamble

Para ustedes ¿qué es un proyecto de ensamble?

Es una idea que representarán entre todos y que podrán mostrar a sus compañeros de la escuela, a su familia y ¡hasta a su comunidad!

Ésta es sólo una sugerencia. Ustedes, con su maestro, tienen la oportunidad de proponer otras ideas de lo que les gustaría realizar.

Este año trabajaron muchas actividades corporales. ¿Cómo podrían hacer una gran obra de arte utilizando sus cuerpos?

Materiales:

Una o varias sábanas viejas o pliegos de papel grueso unidos con cinta adhesiva.

Pintura que no sea tóxica, como pintura vegetal o alguna otra que se produzca en el lugar donde viven. También pueden usar té, café, jugo de betabel, o agua de jamaica muy concentrada.

Ropa que puedan manchar (playera y pantalones cortos).

Recipientes para la pintura.

Música grabada. También pueden invitar a una persona que sepa tocar un instrumento musical.

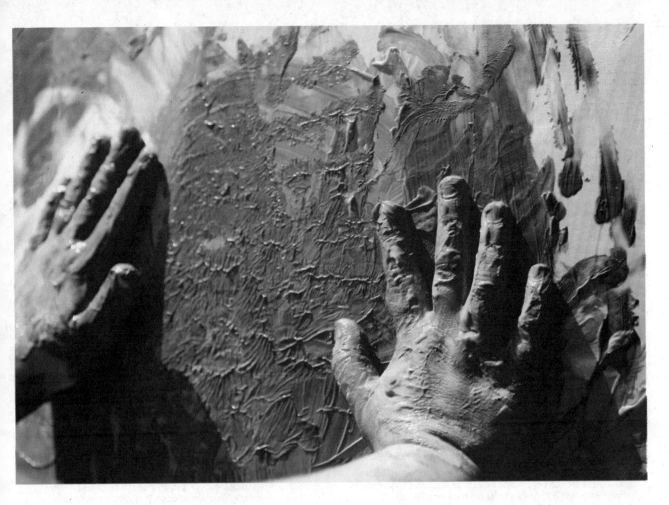

Van a hacer una gran pintura cuyo tema sea la música.

- Extiendan en el suelo las sábanas o el papel, fíjenlos bien al piso con cinta adhesiva, botes o piedras.
- Póngase la ropa que han traído, preparen las pinturas y cada uno embárrensela por el cuerpo. Es importante que no se manchen la cara ni el pelo, especialmente que la pintura no caiga en los ojos.
- Escuchen la música; cuando identifiquen sonidos cortos, en la sábana pinten con sus manos y pies siguiendo el ritmo. Cuando oigan sonidos largos, rueden para crear manchas extensas,

traten de no chocar entre ustedes. No dejen un solo espacio sin pintar.

Comenten: ¿qué niveles corporales utilizaron en esta actividad? ¿Cuál fue su experiencia al utilizar su cuerpo como un pincel?

Al terminar, pónganle un título a su pintura y colóquenla en el patio de la escuela o en algún muro para que la gente pueda apreciarla.

Hoy en día es bastante común que los artistas trabajen en equipo y que utilicen los materiales y recursos que hay en el lugar donde viven.

Bibliografía

Aguilar, Nora, *Improvisation,* Pittsburgh, University of Pittsburgh Press, 1988.

Anholt, Laurence, *Camille y los girasoles,* Barcelona, Serres, 1995.

_____, *Degas y la pequeña bailarina,* Barcelona, Serres, 1996.

Ball, Philip, *La invención del color,* México, Fondo de Cultura Económica, 2004.

Blom, Lynne Anne y L. Tarin Chaplin, *The moment of movement. Dance improvisation,* Pittsburgh, University of Pittsburgh Press, 1988.

Cañas, José, *Didáctica de la expresión dramática: una aproximación a la dinámica teatral en el aula,* Barcelona, Octaedro, 1992.

Calvo Hernández, María Teresa et al., *Diccionario español-lengua de las señas mexicanas (Dielseme). Estudio introductorio al léxico de la LSM,* México, SEP, p. 21.

Cervera Borrás, Juan, *Historia crítica del teatro infantil español,* Madrid, Editora Nacional, 1982.

Dallal, Alberto, *Cómo acercarse a la danza,* México, SEP-Plaza y Valdés-Gobierno del Estado de Querétaro, 1988.

_____, *La danza contra la muerte,* México, UNAM, 1979.

Dondis, Donis, *La sintaxis de la imagen,* Barcelona, Gustavo Gili, 1976.

García Moncada, Francisco, *Teoría de la música,* México, Ricordi, 1995.

Gardner, Howard, *Educación artística y desarrollo humano,* Madrid, Paidós, 1994.

Grotowski, Jerzy, *Hacia un teatro pobre,* Buenos Aires, Siglo XXI Editores, 1981.

Holm, Annika, *Anton y los dragones,* Barcelona, Serres, 2001.

Instituto Cubano del Libro, *Para hacer teatro,* Caracas, El Perro y la Rana, 2006.

Kandinsky, Wassily, *Punto y línea sobre el plano,* México, Colofón, 2007.

Kidd, Richard, *Daisy quiere ser famosa,* Barcelona, Serres, 2001.

Llovet, Jordi, *Ideología y metodología del diseño,* Barcelona, Gustavo Gilli, 1981.

Materiales y Métodos Educativos-Subsecretaría de Educación Básica y Normal-Secretaría de Educación Pública, *Educación Artística. Libro para el maestro,* 2ª ed., México, SEP, 2001.

Motos Teruel, Tomás, *Práctica de la expresión corporal,* Madrid, Ñaque Editora, 2006.

Oliveto, Mercedes y Dalia Zylberberg, *Movimiento, juego y comunicación. Perspectivas de expresión corporal para niños,* sin pie de imprenta, sin año.

Pescetti, Luis María, *Taller de animación musical y juegos,* Buenos Aires, Editorial Guadalupe, 1994.

Portillo Casado, Jesús, *Abecedario del teatro,* Sevilla, Centro de Documentación de las Artes Escénicas de Andalucía, 1992.

Renoult, Noëlle, *Dramatización infantil: expresarse a través del teatro,* Madrid, Narcea, 1994.

Rodríguez, Félix y Rosario García, *Rítmica aplicada a la danza folklórica. Método de entrenamiento rítmico para bailarines,* México, Fonca, 2001.

Schiller, Friedrich, *Kallias. Cartas sobre la educación estética del hombre,* Barcelona, Anthropos, 2005.

Talens, Jenaro et al., *Elementos para una semiótica del texto artístico. Poesía, narrativa, teatro, cine,* Madrid, Cátedra, 1978.

Vallon, Claude, *Práctica del teatro para niños,* Barcelona, CEAC, 1981.

Vygotski, Lev Semenovich, *La imaginación y el arte én la infancia,* Madrid, Akal, 1998.

Créditos iconográficos

p. 10 Alejandro Colunga (1943), *Circolunga* (2010), óleo sobre tela, 270 x 170 cm. Colección privada.

p. 12 Nacho López (1923-1986). *Patinando,* de la serie "Niños", (c. 1955), Ciudad de México, negativo de película de seguridad en formato 35 milímetros ©381312 Conaculta. INAH. Sinafo. FN. México.

p. 13 (Fotografía) Mariano Cecowski, *Cueva de las manos,* pintura rupestre de hace unos 9 000 años. Provincia de Santa Cruz, Argentina.

p. 15 (Fotografía) Carlos Abraham, *Desafíos,* 2009. Coreografía y dirección: Lourdes Arroyo, intérprete: Mario Alba. Grupo DanceAbility Internacional México.

p. 19 José Gurvich, *Los tres músicos en colores primarios* (1968), óleo sobre madera, 46 x 29 cm.

p. 20 Pablo Serrano (1974), *Tonto y loco* (2004), pintura acrílica sobre piel.

p. 21 Alejandro Colunga (1943), *Silla lectora* (2006), maqueta de escultura monumental, bronce a la cera perdida, 17 x 20 x 43 cm. Colección privada. (Fotografía) *Marcel Marceau* (1923-2007) © Other images.

p. 26 Tina Modotti (1896-1942), *Madre e hijo* (c. 1929). © (núm. de inventario: 35346) Conaculta. INAH. Sinafo. FN. México.

p. 27 Manuel Álvarez Bravo (1902-2002), *Las lunas* (1973), Ciudad de México, plata sobre gelatina, 20.3 x 25.4 cm, © Colette Urbajtel/ Asociación Manuel Álvarez Bravo, AC.

p. 29 (Fotografía) Alejandra Llorente, Tania Pérez Salas, *Biografía del deseo,* 2004.

p. 30 (Fotografía) Christa Cowrie, *Viaje al sur,* Compañía Cristina Hoyos, 2005.

p. 31 (Fotografía) Alondra de la Parra dirigiendo a la Orquesta de las Américas, © Other images.

p. 32 (Fotografía) Christa Cowrie, *Historias de viaje,* Onírico Teatro Danza del Gesto, 2004.

p. 38 Desiderio Hernández Xochitiotzin (1922-2007), *Reunión de los cuatro señores de Tlaxcala* (1957-1967, detalle), mural al fresco, 4 x 7 m, Palacio de Gobierno del Estado de Tlaxcala. Fotografía de Salatiel Barragán.

p. 39 Bartolomé Esteban Murillo (1617-1682), *Niños jugando a los dados* (c. 1670-1675), óleo sobre lienzo, 108.5 x 146 cm. Museo Nacional Bayerisches, Munich, ©Latinstock.

p. 41 (Fotografía) Raúl Barajas, niño mayo, Archivo iconográfico DGME-SEP.

p. 48 (Fotografía) Daniel González Moreno, *Canita conoce a Coquín,* Compañía Mundo Mágico, 2009.

p. 49 (Fotografía) © Other images.

p. 52 Diego Rivera (1886-1957), *La piñata* (1953), temple sobre tela, propiedad del Hospital Infantil de México "Federico Gómez", DR. © 2010 Banco de México "Fiduciario" en el Fideicomiso relativo a los Museos Diego Rivera y Frida Kahlo. Av. Cinco de Mayo núm. 2, col. Centro, deleg. Cuauhtémoc 06059, México, reproducción autorizada por el Instituto Nacional de Bellas Artes y Literatura, 2010.

p. 53 Edward Henry Potthast (1857-1927), *A la orilla del mar* (1905), óleo sobre tela, 311 x 406 cm, Museo de Bellas Artes, Boston, ©Other images. Edward Muybridge, *Animal locomotion* (c. 1887). Biblioteca del Congreso de Estados Unidos.

p. 54 Leonardo da Vinci (1452-1519), boceto para una bicicleta (c. 1490), *Códice Atlanticus,* dibujo con carbonilla, Biblioteca Ambrosiana, Milán, ©Other images. Camille Claudel (1864-1943), *La ola* (1897), onix y bronce sobre pedestal de mármol, 61 x 48 x 61 cm, Museo Soumaya.

p. 55 Silvana Kelm (1972), *Armonía,* modelado en arcilla sobre estructura de hierro, modelado en yeso, colado en acrílico, acrílico y hierro, 60 x 70 x 275 cm, fotografía de Patricio Pueyrredón.

p. 59 Andrew Lewis, *Chopin,* cartel, impresión digital, 73 x 103 cm. Undécima Bienal Internacional del Cartel en México. Carteles seleccionados. Categoría A. Canadá.

p. 62 María Rosa Astorga (1966), *Barca en la tormenta* (2010), encausto sobre madera, 50 x 50 cm.

p. 63 (Fotografías) niño lacandón, niño corriendo en el agua © Other images. Niño con un palo © Photo Stock.

p. 67 (Fotografía) Futbol en Copacabana, La Paz, Bolivia © Other images.

p. 68 (Fotografía) Eduardo Quintana Méndez, Danza de los tumbis, Secretaría de Turismo del Gobierno del Estado de Michoacán.

p. 72 (Fotografía) *Cómo entrenar a tu dragón.* © Other images, 2010.

p. 73 (Fotografía) Taller Infantil de Artes Plásticas (TIAP), Taller de modelado (c. 1940). Acervo Roberto Lago Salcedo, Fundación Cultural "Roberto Lago" AC. Comodato Tito Díaz Góngora. (Fotografías) Colección guiñol INBA, CNT, Programa de Teatro para Niños y Jóvenes. Núms. SIGROA 58262, 58228, 57906. Tomadas del CD *Época de oro del Teatro Guiñol de Bellas Artes 1932-1965.* Coordinación General: Marisa Giménez Cacho. Investigación: Francisca Miranda Silva.

p. 76 (Fotografía) manos de niños cubiertas con pintura © Other images.

p. 77 (Fotografía) manos de niños cubiertas con pintura © Other images.

¿Qué opinas de tu libro?

Tu opinión es importante para mejorar este libro de *Educación Artística, primer grado*. Marca con una ✓ las respuestas que expresen tu opinión.

1 ¿Te gustó tu libro?

⬤ Siempre ⬤ Casi siempre ⬤ A veces

2 ¿Te gustaron las imágenes?

⬤ Siempre ⬤ Casi siempre ⬤ A veces

3 ¿Las imágenes te ayudaron a entender las actividades?

⬤ Siempre ⬤ Casi siempre ⬤ A veces

4 ¿Te fue fácil conseguir los materiales?

⬤ Siempre ⬤ Casi siempre ⬤ A veces

5 ¿Las instrucciones de las actividades fueron claras?

⬤ Siempre ⬤ Casi siempre ⬤ A veces

6 ¿El "Baúl del arte" fue un elemento de apoyo para realizar las actividades?

⬤ Siempre ⬤ Casi siempre ⬤ A veces

Las actividades te ayudaron a:

⬤ Expresar tu creatividad

⬤ Trabajar en equipo

⬤ Hacer las cosas por ti mismo

Si tienes sugerencias para el libro, escríbelas a continuación:

_____

_____

¡Gracias por tu participación!

SEP

Dirección General de Materiales Educativos
Dirección de Desarrollo e Innovación de Materiales Educativos

Viaducto Río de la Piedad 507, cuarto piso,
Granjas México, Iztacalco,
08400, México, D. F.

Datos generales

Entidad: _____

Escuela: _____

Turno: Matutino   Vespertino   Escuela de tiempo completo

              ●   ●   ●

Grado: _____